HI

HEN ŴR Y MÔR

MAIR WYNN HUGHES

Argraffiad cyntaf—1999

ISBN 1 89502 729 6

Dymuna'r cyhoeddwyr gydnabod cymorth
Adrannau Cyngor Llyfrau Cymru.

Argraffwyd gan
Wasg Gomer, Llandysul, Ceredigion SA44 4QL

Sniffiodd Non wrth gamu tros drothwy'r bwthyn gwyliau. Roedd arogl rhyfedd yn y lobi. Arogl lle dieithr, a hwnnw'n gymysgedd o bolish a thywod a hen lwch am nad oedd neb yn byw ynddo o ddifri. Ac . . . ych a fi! Roedd pobman wedi'i beintio efo paent brown a gwyrdd tywyll.

Ond doedd dim ots! Roedd y bwthyn reit ar lan y môr a byddai hi a Sam yn siŵr o gael llawer o hwyl ar y traeth. Yn enwedig a hwythau wedi cyfarfod Wyn a Lisa, ffrindiau newydd, yn ystod y siwrnai yma. A dyna oedd syrpreis go iawn: roedd y ddau'n aros yn un o'r bythynnod gwyliau yn agos atyn nhw!

Roedd ei mam yn edrych o'i chwmpas hefyd. Fel pe bai hi wedi disgwyl lle gwahanol . . . bwthyn llawer mwy modern. Ond roedd o'n hen, hen a chysgodion yn mynnu llechu yn y corneli er bod hi'n haul braf y tu allan. Dechreuodd Non deimlo'n annifyr. Gallai daeru bod llygaid rhywun arni, ond pan drodd hi i edrych doedd neb yna.

'Ewch â'ch bagiau i'r llofft,' gorchmynnodd eu mam. 'A chadwch eich dillad yn daclus yn y drôrs.'

Anghofiodd Non am y teimlad annifyr. Taranodd i fyny'r grisiau a Sam wrth ei chwt.

'Bags fi y llofft yma,' gwaeddodd gan wthio o flaen ei brawd ac anelu am y drws cyntaf ar y dde.

Safodd y tu mewn i'r drws gan syllu ar y stafell. Llofft fechan oedd hi, a'i nenfwd melyn tywyll yn gogwyddo'n isel tua'r ffenest. Safai gwely haearn a chwrlid les drosto ar ganol y llawr. Gwenodd Non. Gallai ddychmygu gorwedd ynddo a gwrando ar sŵn y môr trwy'r ffenest agored.

Trodd i wagio'i ches a chadw'i dillad yn ddestlus yn nrôr y bwrdd ymolchi. Yna penliniodd ar y sedd bren gul a gyffyrddai'r llawr, bron, o flaen y ffenest.

'Mae'r stafell yma'n wynebu'r traeth,' galwodd. 'Mi fydda i'n medru gweld y môr o fy ngwely.'

Wel . . . jest, meddyliodd. Mi fyddai'n rhaid iddi orwedd ar ei bol ar y gwely uchel, henffasiwn, a gwyro dros yr erchwyn nes bod ei phen yn cyffwrdd y llawr i sbecian allan. Gwenodd wrth feddwl am y siâp od fyddai arni.

Penderfynodd fynd i lawr y grisiau. Roedd hi ar fin codi oddi ar y sedd isel pan sylwodd ar rywun wrth y stepiau a arweiniai at y traeth. Rhyfedd, meddyliodd. Doedd neb yno eiliad yn ôl. Gwasgodd ei thrwyn yn erbyn y gwydr a chraffu i'w gyfeiriad. Safai hen ŵr yno. Crychodd Non ei thalcen wrth weld ei ddillad henffasiwn, tywyll.

6

Tebyg i'r hen gerdyn post hwnnw oedd yn rhan o'r prosiect yn yr ysgol. Dillad llongwyr yr oes o'r blaen, dyna ddywedodd Miss Jones yr athrawes.

Ond doedden nhw ddim yn gwisgo felly rŵan, yn nac oedden? Rhwbiodd Non y gwydr â'i bysedd er mwyn gweld yn well. Oedd, roedd ganddo wallt llaes, gwyn o dan ei gap pig, a barf yn disgyn at hanner ei frest, yn union fel llun y cerdyn post.

Penliniodd Non yno heb symud. Rywsut, fe deimlai'n siŵr fod yr hen ŵr yn edrych yn syth tuag ati. Chwifiodd ei llaw'n gyfeillgar arno. Efallai mai rhywun oedrannus yn byw yn un o'r bythynnod ydi o, meddyliodd. Ond dyna ryfedd! Er ei fod o'n edrych arni, chymerodd o ddim sylw ohoni'n chwifio arno. Dim ond sefyll yno ar ben y stepiau a gwenu . . . gwenu . . . i'w chyfeiriad.

Efallai nad oedd o wedi sylwi arni. Chwifiodd Non eilwaith. Daliai'r hen ŵr i wenu. Ar bwy, tybed? Oedd o'n gweld ei rhieni y tu allan i'r bwthyn ac yn gwenu'n glên arnyn nhw? Ond . . . na! Edrych i fyny oedd o. Edrych i fyny at ei ffenest hi. A gwenu arni.

Dechreuodd Non deimlo'n annifyr unwaith eto. Roedd fel pe bai gwên yr hen ŵr yn dweud rhywbeth wrthi, rhywbeth y dylai hi ei wybod, ond eto, wyddai hi ddim beth. Ac am eiliadau hir, annifyr, fedrai hi ddim peidio ag edrych yn union i'w lygaid. Ond yn waeth na hynny . . . am eiliad . . . fedrai hi ddim symud chwaith.

'Non!' gwaeddodd ei thad yn grac o'r lobi. 'Tyrd i helpu ar unwaith. Mae Sam i lawr ers meitin.'

Chwalodd llais ei thad y teimlad rhyfedd. Crafangiodd oddi ar y sedd isel a rhedodd i lawr y grisiau. Roedd Sam yno'n barod, a golwg 'bachgen da ydw i, yn ufuddhau ar unwaith' ar ei wyneb.

'Sinach!' meddai Non o dan ei gwynt wrth anelu'n gyflym am y drws.

Cyrhaeddodd lwybr yr ardd ac edrych i gyfeiriad y stepiau. Roedd hi am weld yr hen ŵr unwaith eto. *Ond doedd o ddim yno!*

'Lle'r aeth o?' holodd Non gan edrych i bob cyfeiriad.

'Lle'r aeth pwy?' holodd ei thad.

'Yr hen ŵr 'na. Roedd o'n sefyll ar ben y stepiau ac yn gwenu arna i.'

'Welais i neb,' atebodd ei thad heb fawr o ddiddordeb.

Rhedodd Non at y stepiau ac edrych i lawr i'r traeth. Doedd neb i'w weld yno chwaith. Trodd yn ôl yn gynhyrfus.

'Ond roedd o yna! Welaist ti o, Sam?'

Doedd neb am wrando arni. Ond roedd hi'n siŵr ei bod wedi ei weld!

'Non!' galwodd ei mam o'r bwthyn.

Anghofiodd Non am yr hen ŵr wrth iddi redeg i ufuddhau.

2

Llyncodd Non a Sam eu bwyd er mwyn cael brysio i'r traeth.

''Sgwn i fydd Lisa a Wyn yna?' meddai Non. 'Gawn ni fynd i chwilio amdanyn nhw, Dad?'

'Wrth gwrs,' atebodd ei thad gan wenu.

'Ia. Ond byddwch yn ofalus,' rhybuddiodd eu mam. 'Mae'r traeth 'ma'n edrych yn ddigon diogel. Ond peidiwch â bihafio'n fyrbwyll, da chi.'

'Iawn, Mam,' meddai Non a Sam efo un gwynt.

Roedden nhw wedi clywed y bregeth sawl tro o'r blaen. Rhieni! wfftiodd y ddau. Maen nhw eisio rhybuddio am rywbeth byth a beunydd.

'A pheidiwch â bod yn niwsans i Mr a Mrs Jones chwaith,' galwodd eu mam wrth iddynt redeg am y drws. 'Maen nhw eisio amser i ddadbacio hefyd.'

Brysiodd Non a Sam at giât fach yr ardd. Doedd yna ddim golwg o Lisa a Wyn. Tybed ydyn nhw'n dal i ddadbacio, meddyliodd Non yn siomedig. Roedd hi eisio cael cyfle i adnabod y ddau yn iawn. Ond na! Dacw'r ddau yn dod allan o fwthyn Sŵn y Gwynt, ac yn chwifio'u dwylo.

'Heia!' galwodd Non. 'Am ddŵad i'r traeth?'

'Ydan siŵr,' meddai Lisa.

Dringodd y pedwar i lawr y stepiau, a cherdded yn sigledig ar y cerrig mân.

'Roedd 'na hen ŵr yma gynnau,' cofiodd Non yn sydyn. 'Hen ŵr od. Mi welais i o o ffenest fy llofft.'

'Do?'

Doedd gan Lisa fawr o ddiddordeb. Roedd hi'n edrych i fyny ac i lawr y traeth yn foddhaus ac yn meddwl am wythnos gyfan o wyliau.

'Mi gawn ni lot o hwyl yma, yn cawn?' meddai.

'Cawn,' cytunodd Non.

Ond roedd hi'n dal i gofio am yr hen ŵr. Dyna beth od iddo ddiflannu mor sydyn.

'Roedd o'n edrych yn henffasiwn,' meddai.

'Pwy?'

'Yr hen ŵr hwnnw welais i.'

'O!'

'Darllen gormod o lyfrau dirgelion mae hi,' chwarddodd Sam gan roi pwniad i Wyn. 'Dyfalu pob math o bethau am hen ŵr hollol gyffredin. Byw yma'n rhywle mae o, siŵr.'

'Ia, debyg,' cytunodd Non.

Anghofiodd amdano wrth gerdded y traeth efo Lisa. Roedd y ddwy wedi gadael y bechgyn ym mhen pellaf y traeth.

'Rydw i'n falch ein bod ni wedi cyfarfod,' meddai Lisa. 'Ac mae'n well ar ein pen ein hunain, tydi? Dydi bechgyn yn ddim byd ond trafferth!'

Tynnodd y ddwy eu trainers a'u sanau a cherdded yn droednoeth ar y tywod cynnes.

'Mae gen i fflip-fflops coch yn y bwthyn,' meddai Non. 'Mi wisga i nhw fory.'

'Rhai glas sy gen i,' meddai Lisa.

Cerddodd y ddwy ymlaen.

'Ymmm! Mae hyn yn grêt!' meddai Lisa'n fodlon.

Agorodd Non ei cheg i gytuno, ond stopiodd yn sydyn. Gafaelodd ym mraich Lisa.

'Dacw fo. Yr hen ŵr. Draw wrth y graig 'na. Weli di o?'

'Lle? Wela i ddim byd,' meddai Lisa yn ddryslyd. Yna chwarddodd. 'Non! Cysgod yr haul wrth fôn y graig ydi hwnna. Tebyg i siâp hen ŵr.'

'Ond . . .' meddai Non. 'Mae o'n chwifio'i law. Eisio inni fynd ato fo.'

'Fedr cysgod ddim chwifio'i law, siŵr iawn,' meddai Lisa.

Ond roedd tinc anesmwyth yn ei llais. Syllodd i gyfeiriad y graig. *Roedd* y cysgod yn debyg i siâp hen ŵr, ac *roedd* o fel pe bai'n chwifio'i law hefyd. Ond cysgod aneglur oedd o rywsut. Roedd o yna, ac eto ddim yna chwaith. Daeth cryndod trosti.

'Mae siâp y graig i'w weld trwyddo,' sibrydodd.

'Paid â siarad rwtsh,' meddai Non. 'Mae o mor eglur â ti a fi. Tyrd inni fynd draw ato.'

'Oes raid inni?'

Rywsut, doedd Lisa ddim yn barod iawn i fentro. Ceisiodd ei chysuro'i hun. Doedd yna ddim i'w ofni. Cysgod oedd o, 'te? Ond eto roedd y cryndod yn mynnu aros yn ei chorff. A pham oedd hi'n siŵr mai cysgod oedd yno, a Non yn gweld rhywun go iawn?

Dilynodd Lisa Non yn anfodlon i gyfeiriad y creigiau.

'Mi ofynna i lle mae o'n byw,' meddai Non. 'Efalla ei fod o'n gwybod lot o hanes y lle yma erstalwm. Smyglo a phethau felly.'

Baglodd.

'Aww!' gwaeddodd wrth iddi sathru ar gragen finiog.

Syrthiodd ar ei heistedd i archwilio gwaden ei throed. Llifai gwaed yn araf o'r briw.

'Trocha dy droed yn y dŵr,' cynghorodd Lisa. 'Mae 'na dywod yn y briw, does?'

Estynnodd ei hances.

'Lapia hon amdani wedyn.'

Hopiodd Non i gyfeiriad pwll bychan a adawodd y llanw. Trochodd ei throed ynddo a chlymu'r hances amdani wedyn. Ow! Roedd o'n llosgi. Cododd ac ailedrych i gyfeiriad y creigiau.

'Mae o wedi mynd,' meddai'n siomedig. 'Roedd o yna cyn imi drochi fy nhroed,' meddai'n fwy siomedig fyth.

'Mi ddeudis i mai cysgod oedd o,' meddai Lisa. 'Yli, does 'na ddim golwg o neb ar y traeth. Tasa rhywun yna, fedrai o ddim diflannu, yn na fedrai?'

Cyrhaeddodd y bechgyn ar ras.

'Be wnest ti?' holodd Sam gan lygadu'r hances oedd am droed Non.

Anwybyddodd Non y cwestiwn.

'Welsoch chi fo?' holodd. 'Yr hen ŵr 'na wrth y creigiau?'

Ysgydwodd y ddau eu pennau.

'Doedd neb yna,' meddai Sam yn bendant. 'Mi fuasen ni wedi gweld, tasa 'na rywun. Roedden ni'n gwylio adar arnyn nhw, doedden, Wyn?'

Cychwynnodd pawb i gyfeiriad y stepiau a arweiniai o'r traeth. Ond roedd troed Non yn brifo fwyfwy wrth iddi geisio cerdded gyda nhw. Briw bach ydi o, fe'i cysurodd ei hun. Mi fydd yn well ar ôl i Mam ei drin. Ond fe saethai poen trwy'i throed gyda phob cam a gymerai, ac yn fuan roedd hi ymhell ar ôl pawb arall.

'Malwen,' galwodd Sam.

Roedd Wyn ac yntau'n prysur drefnu'r diwrnod canlynol. Roedden nhw am godi ben bore ac am grwydro'r traeth a mynd i nofio wedyn.

Disgwyliodd Lisa wrth Non a cherdded yn araf efo hi am y stepiau. Roedd y ddwy'n dawedog, yn meddwl am yr hen ŵr. Cysgod oedd yna, penderfynodd Lisa. Hen ŵr go iawn welais i, rydw i'n siŵr o hynny, meddyliodd Non gan hopian yn araf ymlaen. Ond pwy oedd yn iawn, tybed?

13

3

'Briw ar ddiwrnod cyntaf y gwyliau,' ebychodd Mrs Ellis wrth archwilio troed Non. 'Ond dydi o ddim yn ddwfn.'

Estynnodd am y blwch cymorth cyntaf.

'Antiseptig, a phlaster, a mwy o ofal y tro nesa,' meddai.

'Iawn, Mam,' meddai Non gan dynnu anadl sydyn wrth i'r antiseptig suddo i'r briw.

'Llosgi, tydi,' meddai ei mam.

'Ydi!' ebychodd Non.

'Babi,' wfftiodd Sam. 'Dydi briw bychan fel'na yn ddim byd.'

'Rwyt ti'n fwy o fabi na neb,' meddai Non. 'Wyt ti'n cofio'r godwm 'na pan frifaist ti dy benglin erstalwm? Gwneud ffws a mynnu tendans!'

'Wela i chdi fory,' meddai Lisa wrth weld ffrae yn datblygu.

'Iawn,' meddai Non.

Roedd Non eisio gorffwys ei throed ar glustog a cheisio anghofio'r llosg a saethai drwyddi bob yn hyn a hyn. Ac ar ôl swper, roedd hi'n falch o gael dringo'r grisiau cul i'w llofft a mynd i'w gwely hefyd. Fe deimlai'n rhy flinedig i sbecian trwy'r ffenest i gyfeiriad y stepiau nac i wneud dim ond gorwedd o dan y cwrlid les a cheisio cysgu.

Ond roedd siapau yng nghysgodion duon y corneli. Siapau symudol, weithiau yno, weithiau ddim. Ac er iddi geisio cysgu, roedd yn rhaid iddi agor ei llygaid i sbecian arnyn nhw bob yn hyn a hyn. Jest rhag ofn eu bod nhw'n dod yn nes.

Does dim byd yna, meddai wrthi'i hun. Dychmygu bod y cysgodion yn symud ac edrych arna i ydw i. Ond roedd hi'n boeth o dan y dillad hefyd. Ar dân o boeth ac yn chwys domen. Trodd ar ei hochr a chau'i llygaid unwaith eto. O'r diwedd, llithrodd yn araf i gwsg trwm. Dechreuodd freuddwydio . . .

Roedd hi'n eistedd mewn cwch hwyliau, a hwnnw'n rhuthro'n wyllt trwy'r tonnau. Ac roedd ei stumog yn troi'n annifyr, yn union fel y byddai pan oedd hi'n sâl wrth deithio. Ac fe wyddai nad y hi yn unig oedd yn y cwch, ond doedd hi ddim yn siŵr iawn pwy arall, chwaith. Fedrai hi mo'i weld yn eglur.

Gogwyddai'r cwch i'r chwith a'r dde i ddal y gwynt; slapiai'r hwyliau yn ddwndwr uwchben a saethai ewyn yn gawodydd oer i'w hwyneb. Ac roedden nhw ymhell oddi wrth y tir. O! fe deimlai'n sâl. Roedd y codi a'r gostwng rhwng y tonnau'n cydsymud efo'r codi a gostwng yn ei stumog hithau. Sâl! Sâl môr.

Chwythai'r gwynt ar ei hwyneb, a rhuthrai'r cwch ymlaen ac ymlaen, wyddai hi ddim i ble.

Ond fe wyddai ei bod hi wedi eistedd yn y cwch yma lawer tro o'r blaen, ac wedi teimlo yr un mor sâl hefyd. Ond doedd hi ddim eisio cyfaddef pa mor sâl oedd hi—cyfaddef wrth . . . bwy?

Yn ei breuddwyd, trodd i edrych i gyfeiriad y ffigur aneglur wrth y llyw. Pwy oedd yno efo hi? Pwy oedd yn llywio'r cwch? Ond rywsut, y tro yma, fe wyddai cyn edrych hyd yn oed. Yr hen ŵr oedd o. Roedd hi'n adnabod ei ddillad tywyll, henffasiwn, a'i wallt gwyn o dan ei gap pig, a'r farf at hanner ei frest hefyd. Ond fedrai hi ddim gweld ei wyneb. Roedd o'n edrych o'i flaen i gyfeiriad y tonnau a ruthrai fel mynyddoedd amdanynt, heb gymryd sylw ohoni hi.

I ble roedden nhw'n anelu mor bell oddi wrth y tir? Fel pe baen nhw byth am ddychwelyd? Roedd hi eisio mynd yn ôl. Eisio cyrraedd y tir diogel unwaith eto. Agorodd ei cheg i alw arno. Yna . . . deffrodd efo sbonc sydyn.

Yn ei gwely oedd hi. Nid ar y tonnau, ymhell oddi wrth y lan. A doedd hi ddim yn teimlo'n sâl chwaith. Breuddwyd fu'r cyfan, diolch byth. Roedd hi'n ddiogel unwaith eto yn y llofft fach henffasiwn wrth lan y môr. Breuddwydio wnaeth hi. Am iddi dybio gweld yr hen ŵr ar ben y stepiau. Ond breuddwyd oedd hynny hefyd. Welodd hi neb o ddifri, neu mi fuasai pawb arall wedi'i weld hefyd.

Edrychodd i gyfeiriad y gornel ac ochneidiodd yn ddiolchgar. Doedd dim i godi ofn yno. Dim ond cornel llwyd-dywyll ac arlliw o ffrâm siampler 'Duw Cariad Yw' ar y wal gerllaw. Syrthiodd i gysgu unwaith eto, heb freuddwydio y tro hwn.

4

Deffrodd yn fore trannoeth. Am ychydig fedrai hi ddim cofio lle'r oedd hi. Crwydrodd ei llygaid o gwmpas y llofft fechan ac at y sedd ffenest isel. Wrth gwrs! Yn y bwthyn oedd hi. Eu bwthyn gwyliau. Ac roedd yr haul yn tywynnu trwy'r ffenest fechan. Neidiodd o'r gwely.

'Aww!' ebychodd wrth deimlo pigiad y dolur ar ei throed.

Ond doedd o ddim yn brifo llawer. Brysiodd yn hanner cloff at y ffenest a suddo ar y sedd i edrych trwyddi. O'r fan hyn y gwelodd hi'r hen ŵr gyntaf, meddyliodd. Ond y tro hwn doedd dim i'w weld heblaw haul y bore a stepiau gweigion yn arwain i'r traeth.

Fe teimlai'n llawn egni. Gwisgodd amdani a chario'i fflip-fflops yn ei llaw wrth iddi ddringo'n ddistaw i lawr y grisiau. Doedd neb ond y hi wedi deffro. Roedd hi am fwyta brecwast ac am fynd allan ar ei phen ei hun. Fe gâi weld a oedd yna hen ŵr yn byw rywle'n agos.

Anwybyddodd y teimlad annifyr wrth gofio amdano. Hen ŵr cyffredin oedd o, roedd hi'n siŵr o hynny. Ac wedi iddi ei gyfarfod a chael sgwrsio efo fo, fyddai yna ddim i boeni yn ei gylch. Llyncodd ychydig o greision cyn brysio allan o'r bwthyn.

Roedd pobman yn dawel ac unig. Cerddodd at ben y stepiau ac edrych i lawr ar y traeth. Roedd y môr i mewn a'r tonnau'n llepian hyd at waelod y stepiau bron. Eisteddodd at y stepan uchaf ac edrych allan i'r môr. Mor braf oedd eistedd yno a theimlo'r awel ysgafn ar ei hwyneb.

Trodd i edrych i gyfeiriad y bythynnod. Doedd neb i'w weld o'u cwmpas nhw chwaith. Y hi oedd yr unig un allan ar fore mor braf. Pwysodd ei phenelin ar ei glin a syllu allan i'r môr. Mor dawel a llonydd a chyfeillgar yr edrychai heddiw. Ond neithiwr, fe freuddwydiodd ei bod hi ar fôr ffyrnig, ymhell oddi wrth y lan, y cwch yn sboncio trwy'r tonnau a hithau'n teimlo'n ofnus. A'r hen ŵr oedd wrth y llyw.

Breuddwyd gwirion oedd o, wfftiodd. Mae 'na hen ŵr hollol ddiniwed yn byw rywle'n agos. Hen ŵr cyfeillgar a wenodd arna i o ben y stepiau. Ond eto, fedrai hi ddim peidio â theimlo ias ryfedd yn crwydro i fyny'i hasgwrn cefn wrth feddwl amdano. Yr un ias ag a deimlodd hi wrth gerdded i mewn i'r bwthyn am y tro cyntaf.

'Awww!' sgrechiodd wrth i ddwylo syrthio'n sydyn dros ei llygaid.

Drybowndiodd ei chalon wrth iddi geisio gafael ynddynt a'u tynnu i ffwrdd. Yr hen ŵr, meddyliodd yn wyllt. Mae o am fy herwgipio. Am fy lladd!

Cwympodd yn llipa wysg ei hochr ar y stepan, ond fedrai hi ddim sgrechian eilwaith. Roedd arni ormod o ofn. Yna ymlaciodd y dwylo a chwarddodd rhywun y tu ôl iddi.

Sam . . . y ffŵl gwirion iddo fo! Trodd i'w wynebu'n ffyrnig.

'Be sydd arnat ti, y twpsyn? Fy nychryn i fel'na!'

Cododd ei llais wrth iddi wylltio o ddifri.

'Pam stelcian y tu ôl i rywun a chwarae hen driciau twp?'

Gwgodd Sam. 'Pam codi ffasiwn ffws?' atebodd yntau.

'Am fy mod i'n meddwl . . .' Brathodd Non ei gwefus.

'Meddwl be?'

'Meddwl mai'r hen ŵr oedd yna,' cyfaddefodd Non.

'*Be*? Yr hen ŵr 'na rwyt ti'n *tybio* iti ei weld? Y ti a neb arall. Twpsan!'

'Ia . . . ond mi freuddwydiais i . . .'

Edrychodd ar Sam. Roedd o'n chwerthin am ei phen. Ac yn sydyn, roedd hithau'n chwerthin hefyd.

'Paid ti â meiddio fy nychryn i fel'na eto. Dallt?' meddai.

'Dallt,' meddai Sam.

'Ond rydw i'n teimlo'n annifyr yn y bwthyn hefyd,' cyfaddefodd Non. 'Fel pe bai rhywun yna . . . ond eto ddim chwaith.'

'Dychymyg,' meddai Sam. 'Darllen gormod o storïau arswyd wyt ti, 'te!'

'Ia, debyg,' meddai Non. 'Ond maen nhw'n dda, tydyn?'

Dychwelodd y ddau i'r bwthyn. Erbyn hyn roedd eu rhieni wedi codi.

'Lle buoch chi'ch dau?' holodd eu mam.

'Jest ar ben y stepiau,' meddai Non.

'Yn breuddwydio,' ychwanegodd Sam yn slei.

'Yli di . . .'

'Sori.'

Roedd yn fore rhy braf i ffraeo, ac roedd diwrnod hir, heulog o'u blaen.

'Cofiwch chi fod yn ofalus,' siarsiodd eu tad. 'Dim gwneud pethau gwirion ar y traeth yna.'

'Iawn,' ebychodd Non a Sam efo'i gilydd dan anelu am y drws.

'A chinio am hanner dydd,' galwodd eu mam ar eu hôl.

'Iawn,' ebychodd y ddau unwaith eto.

Rhieni! meddyliodd Non a Sam. Ond roedden nhw'n deall pam eu bod nhw'n siarsio cymaint hefyd. Roedd mynd yn rhy bell i'r môr yn beryglus, yn enwedig pan nad oeddech chi'n gwybod pa mor gryf oedd tynfa'r llanw. Ond doedd dim angen dweud a dweud, yn nac oedd?

5

Roedd Lisa a Wyn yn aros amdanynt wrth y stepiau.

'Be wnawn ni heddiw?' holodd Lisa.

'Beth am inni gerdded tua'r trwyn pellaf acw?' cynigiodd Non. 'Jest i weld oes 'na draeth arall yno.'

Gwnaeth Sam a Wyn wynebau diflas.

'Dim eisio,' meddai'r ddau gan droi a chychwyn i'r cyfeiriad arall.

Dringodd Non a Lisa i lawr i'r traeth a cherdded ar ei hyd.

'Mae'n bwthyn ni'n grêt,' meddai Lisa. 'Peiriant golchi llestri a microdon i Mam, a theledu os bydd hi'n glawio. Beth am eich bwthyn chi?'

'Mae o'n hen,' meddai Non. 'Does 'na ddim byd modern yn y gegin. Dim ond sinc henffasiwn a silffoedd cam ar y wal, a bwrdd yn agor allan efo cadeiriau simsan. Ond mae ganddon ni deledu. Un bychan symudol.'

'Sut lofft sy gen ti?'

'Un efo nenfwd melyn ych a fi a hwnnw'n gogwyddo. A sedd isel i eistedd arni wrth y ffenest. Ac mae 'na wely haearn efo cwrlid gwyn arno fo, a bwrdd molchi efo jŵg a basn.'

'Does 'na ddim ystafell molchi?'

'Oes . . . i lawr y grisiau,' atebodd Non.

'Wow!' synnodd Lisa.

'Wir yr. Mi gei di ddŵad i weld.'

Cerddodd y ddwy ymlaen. Roedd yr haul yn boeth ar eu cefnau a'r gwylanod yn troi a throsi yn yr awel uwchben.

'Welaist ti'r hen ŵr hwnnw wedyn?' holodd Lisa'n sydyn.

'Naddo.' Cerddodd croen gwydd i fyny asgwrn cefn Non. 'Ond mi freuddwydiais i amdano fo.'

'O . . . breuddwyd,' meddai Lisa. 'Mae pawb yn breuddwydio weithiau, tydyn?'

'Ydyn. Ond mae 'na deimlad od yn y bwthyn hefyd. 'Run fath â tasa rhywun y tu ôl imi o hyd.'

'Dychymyg,' meddai Lisa.

Roedd Non yn dechrau cael llond bol ar bawb yn sôn am ddychymyg o hyd. Ond efallai eu bod nhw'n iawn, fe'i cysurodd ei hun. Dychmygu gweld yr hen ŵr ddaru mi, a dychmygu'r teimlad annifyr sydd yn y bwthyn weithiau. A chael hunllef o freuddwyd neithiwr.

Cyrhaeddodd y ddwy pen pellaf y traeth a dringo dros y creigiau isel a estynnai allan i'r môr rhyngddynt a'r traeth nesaf. Safasant yno i edrych.

Roedd gweddillion hen lanfa yno, a'r pyst wedi'u bwyta gan y llanw. Yn ei phen uchaf, pwysai sgerbwd cwch hwylio bychan ar y coed pwdr.

'Awn ni yna i weld?' cynigiodd Lisa.

'Pam lai,' atebodd Non.

Anelodd y ddwy i gyfeiriad y cwch. Roedd y tyllau mawr yn ei waelod yn llawn o wymon a thywod, ac ymestynnai cadwyn rydlyd o'r dec hyd at un o ddolennau mawr y lanfa. Safasant ychydig bellter oddi wrtho.

''Sgwn i pwy oedd piau'r cwch?' meddai Lisa. 'A beth oedd ei enw, tybed?'

'*Lili Wen,*' meddai Non.

'Be?' Trodd Lisa yn syn. 'Sut gwyddost ti? Dyfalu?'

'Ia . . . am wn i.'

Ond rywsut roedd Non yn berffaith siŵr mai dyna oedd yr enw. Cerddodd yn nes ato a phlygu i graffu ar y sgrifen a oedd wedi diflannu bron ar ei ochr.

Lili Wen! Dyna oedd yr enw hefyd. Aeth yr un ias trwyddi eto. Sut y bu hi mor siŵr mai dyna oedd enw'r cwch?

'*Lili Wen* ydi o hefyd!' rhyfeddodd Lisa. Trodd i edrych ar Non. 'Wyt ti'n seicic, ta be?'

Edrychodd y ddwy ar ei gilydd, ac yna'n ôl ar y cwch.

'Wyt ti wedi gweld y cwch 'ma o'r blaen?' holodd Lisa.

'Naddo, siŵr. Dyma'r tro cyntaf inni ddŵad i Aberdwylan am wyliau.'

'Ia . . . ond . . .' cychwynnodd Lisa.

Edrychodd Non o'i chwmpas yn ansicr. Wrth

gwrs, doedd hi ddim wedi gweld y cwch o'r blaen. Ond sut . . ?

Crwydrodd ias arall trwy'i chorff. Roedd rhywun yn edrych arni. Fe deimlai'r edrychiad pel picell rhwng ei hysgwyddau, a rhyw bwysau tywyll, peryglus yn llechu rywle y tu ôl iddi hefyd. Ond wedi iddi droi i edrych, doedd neb yno. Dim ond cysgod cwmwl yn symud yn araf ar hyd y traeth i'w cyfeiriad. Doedd yna ddim i'w ofni, fe'i cysurodd ei hun.

Ond roedd y cysgod yn nesáu'n fygythiol, rywsut. Cysgod cwmwl. Edrychodd i fyny a sbonciodd ei chalon. *Doedd* yna ddim cwmwl. Dim ond awyr las berffaith heb un cwmwl yn unman.

'Li . . . sa!' meddai trwy wefusau sych. 'Edr . . . ych.'

'Ar be?'

'Y cysgod 'na!'

Crafangai'r cysgod amdanynt. Ac yn ei ganol . . . rhewodd y ddwy . . . roedd corwynt bychan yn chwyrlïo'n gyflymach a chyflymach tuag atynt.

'Rhed!' gwaeddodd Lisa, a'i llais yn llawn dychryn.

Ond fedren nhw ddim. Roedd eu traed yn sownd yn y tywod. Disgynnodd düwch y cysgod arnynt, a'r eiliad nesaf ysgubwyd y ddwy oddi ar eu traed i rowlio'n bendramwnwgl ar hyd y tywod.

'NON!' gwaeddodd Lisa wrth ei theimlo'n pellhau oddi wrthi.

Ond ni chafodd Non gyfle i ateb. Fe'i taflwyd hi i gyfeiriad arall. Roedd fel pe bai dwylo cudd yn gafael ynddi a'i thynnu rywsut rywsut i gyfeiriad y cwch. Yna, fe'i teimlodd ei hun yn hedfan trwy'r awyr ac yn disgyn yn boenus ar y dec drylliog. Aeth pobman yn ddu.

b

'Non! Non!'

Roedd leisiau'n galw arni o rywle. Agorodd ei llygaid yn araf a syllu i fyny i'r awyr las uwchben. Lle'r oedd hi? Beth ddigwyddodd? Hanner cododd ar ei heistedd yn boenus. O! roedd ei chorff yn brifo drosto!

'Non!' Llais Lisa oedd yn siarad. 'Wyt ti wedi brifo?'

Safai Wyn a Sam y tu ôl iddi a golwg syn ar eu hwynebau.

'Na . . . ddo,' atebodd Non yn araf.

Edrychodd ar y dec drylliog oddi tani ac o gwmpas y sgerbwd cwch wedyn. Doedd hi ddim . . . yn . . . cofio. Ond eto, mi roedd hi hefyd. Dechreuodd ei chorff grynu wrth iddi gofio'r teimlad o ddwylo cudd yn ei chodi ac yn ei hyrddio ar ddec y cwch.

'Corwynt oedd o,' meddai Sam yn wybodus. 'Roedden ni'n dringo dros y creigiau pan welson ni o.'

'Ond mi afaelodd rhywun ynddo i,' meddai Non yn grynedig. 'A 'nhaflu i ar y dec.'

'Rwtsh!' chwarddodd Sam.

Ond roedd yntau'n teimlo'n braidd yn ansicr

hefyd. Roedd angen corwynt cryf ofnadwy i *godi* rhywun i fyny a'i thaflu fel'na.

Cododd Non ar goesau crynedig. Roedd hi eisio dianc ymhell oddi wrth y cwch a'r traeth, a rywsut oddi wrth y bwthyn hefyd. Llithrodd a hanner neidio oddi ar y dec. Yn ei brys, collodd ei fflip-fflops a sgriffio'i phen-glin nes i'r gwaed lifo.

'Briw arall,' sylwodd Sam. 'Mi fydd Mam yn tantro, gei di weld. A chofia am dy fflip-fflops.'

Ond doedd dim ots gan Non am dantro ei mam nac am y fflip-fflops. Chymerodd hi ddim sylw o'r briw, dim ond hanner rhedeg cyn belled ag y medrai oddi wrth y cwch.

'Hei! Aros!' gwaeddodd Sam. Cododd y fflip-fflops. 'Be 'di'r brys?'

Ond chymerodd Non ddim sylw o'i eiriau. Cychwynnodd nerth ei thraed am y creigiau a wahanai'r ddau draeth. Doedd hi *byth* eisio dod i'r traeth yma eto.

Daliodd y tri arall hi o'r diwedd.

'Yli, arafa,' meddai Sam. 'Rwyt ti'n dianc oddi wrth ddim byd.'

'Dim byd!' gwaeddodd Non yn grac. 'Teimlo dwylo'n gafael ynddo a 'nghodi i ar ddec cwch yn ddim byd?' Gwasgodd ei dwylo'n ddyrnau. 'Roedd o'n deimlad *ofnadwy!* Dallt?'

'Mae 'na eglurhad yn siŵr o fod,' meddai Wyn.

'Deuda di be,' meddai Non yn wyllt.

'Wel . . . dychmygu'r dwylo,' dyfalodd Wyn yn gloff.

Gwylltiodd Non yn fwyfwy.

'Wnes i mo'u dychmygu nhw. Wnes . . . i . . . ddim.'

'Os wyt ti'n siŵr,' meddai Wyn. 'Felly mae 'na eglurhad arall, does?'

'Be?'

Edrychodd pawb ar ei gilydd am eiliad.

'Mae Non yn seicic,' meddai Lisa. 'Roedd hi'n *gwybod* mai *Lili Wen* oedd enw'r cwch cyn ei weld.'

'Non ni yn seicic?' wfftiodd Sam. 'Cer o'ma!'

'Ond mi *ro'n* i'n gwybod,' meddai Non. 'Wn i ddim sut, ond mi ro'n i. A beth am yr hen ŵr welais i? Does neb arall wedi'i weld o.' Distewodd am eiliad. 'Ac mae'n bwthyn gwyliau ni'n od hefyd,' ychwanegodd. 'Rydw i'n teimlo rhywun arall yno efo mi weithiau.'

'Wyt,' meddai Sam. 'Mam a Dad a fi, siŵr iawn.'

Chwarddodd neb. Syllodd pawb ar ei gilydd yn amheus. Rywsut, er bod yr haul yn tywynnu'n braf uwchben, roedd yna deimlad oeraidd yn yr aer o'u cwmpas. Fel pe bai rhywbeth annisgwyl ar fin digwydd eto . . . a hynny'n fuan.

7

'Briw arall!' meddai Mrs Ellis gan edrych yn syn ar ben-glin Non. 'A finna wedi dy rybuddio di. Be ddigwyddodd y tro yma?'

'Llithro,' meddai Non.

Ochneidiodd Mrs Ellis. 'Mi fydd yn rhaid inni brynu rhagor o blasters yn reit fuan,' meddai.

Edrychodd Mr Ellis ar y pedwar. 'Rydach chi'n dawedog iawn,' meddai. 'Oes 'na rywbeth arall wedi digwydd?'

'Naddo. Dim byd,' meddai pawb.

Doedd neb am adrodd yr hanes. Pwy fuasai'n coelio Non, prun bynnag? A doedd y bechgyn ddim yn siŵr a oedden nhw'n coelio chwaith.

Ar ôl cinio, eisteddodd y pedwar ar y stepiau heb wybod yn iawn beth i'w wneud.

'Mi ddarllenais i lyfr unwaith,' meddai Wyn o'r diwedd. 'Llyfr am ysbryd yn trio denu sylw rhywun. Am ei fod o wedi cael cam pan oedd o'n fyw. Efallai mai ysbryd ydi'r hen ŵr.'

'Dydw i ddim yn credu mewn ysbrydion,' meddai Sam. 'Welais i rioed un.'

'Ond mae Non yn seicic,' meddai Lisa. 'Dyna pam oedd hi'n ei weld o, a ddim y ni.'

'Be wnawn ni, 'ta?' holodd Sam.

'Ymmm-mm!' meddai pawb gan edrych ar ei gilydd.

'Wel, dydw i ddim yn mynd i'r traeth pella 'na eto,' meddai Non yn bendant.

'Na finna chwaith,' meddai Lisa.

Penderfynodd y pedwar aros efo'i gilydd ar y traeth islaw'r bythynnod.

'Wnaiff dim byd ddigwydd yn fan'ma,' meddai Sam.

Eisteddodd y pedwar ar y cerrig mân am ychydig. Ond buan iawn y blinodd Sam a Wyn.

'Boring! Jest eistedd,' meddai Sam. 'Beth am fynd i ymdrochi?'

Yn fuan, roedden nhw'n mwynhau nofio a chwarae yn y tonnau. Ond er ei bod hi'n mwynhau ei hun, fedrai Non ddim peidio ag edrych i gyfeiriad y traeth pellaf bob yn hyn a hyn. Beth petai cysgod cwmwl arall yn crafangio'n llechwraidd amdani?

Yn ddiweddarach, fe gyrhaeddodd rhieni'r pedwar efo picnic i'w fwyta ar y traeth.

'Grêt!' gwaeddodd Sam wrth eu gweld. 'Tyrd, Wyn!'

Brysiodd o'r dŵr a dechrau rhedeg i fyny'r traeth. Rhedodd Wyn ar ei ôl.

'Wyt ti'n dŵad?' holodd Lisa wrth Non.

Cododd Non yn araf o'r dŵr. Yn sydyn, roedd hi'n teimlo'n flinedig ofnadwy. Fel petai hi wedi rhedeg *milltiroedd* heb gael seibiant. Cychwynnodd ar ôl Lisa. Ond roedd ei thraed a'i choesau'n trymhau efo pob cam, a theimlai'r tywod melyn o dan ei thraed fel mwd tew, gludiog. Suddai ei thraed yn ddyfnach ac yn ddyfnach i mewn iddo.

'Lisa!' galwodd.

Ond roedd Lisa'n rhy bell i'w chlywed. Ceisiodd Non frwydro ymlaen. Ond fe dynnai rhywbeth hi'n ôl, yn ôl at y tonnau a lifai tua'r lan. Caeodd düwch sydyn amdani a theimlodd dynfa'r môr yn cryfhau.

Roedd yn rhaid iddi sefyll yn ei hunfan. Roedd yn rhaid iddi droi ac edrych i gyfeiriad y môr. Fedrai hi mo'i hatal ei hun. Roedd yn *rhaid* iddi droi er ei bod hi'n ymladd yn galed yn erbyn yr orfodaeth. A chyn iddi droi i wynebu'r môr, fe wyddai pwy fyddai yno. Yr hen ŵr!

Trodd yn araf a'i choesau'n teimlo fel coesau pren. *Roedd o yno!* Safai yng nghanol y tonnau a gwenu'n od arni. Nid gwên glên rywsut, ond gwên annifyr. Ac er fod arni ofn, roedd yn rhaid iddi gerdded yn ôl i'r dŵr . . . ato fo. Roedd o'n galw arni. Yn mynnu ei bod hi'n dod yn nes ac yn nes.

'Non!'

Diflannodd yr hen ŵr wrth iddi glywed llais ei thad o'r tu ôl iddi.

'Mi gei di ymdrochi eto. Tyrd i nôl bwyd rŵan.'

'Yy . . . y.'

Rhwbiodd Non ei llygaid a chraffu i gyfeiriad y tonnau. Dim. Dim hen ŵr, a dim gorfodaeth i anelu'n ôl am y môr chwaith.

'Wyt ti'n mwynhau bod yma?' holodd ei thad.

Sut y medra i fwynhau, meddyliodd Non. Mae'r hen ŵr yna wedi newid. Gwenu oedd o i ddechrau, ond mae o'n bygwth rŵan. Mae o eisio i mi fynd ato fo. A dydw i ddim yn gwybod pam. Ond mae arna i *ofn!*

'Y . . . dw.'

'Mae gen ti wythnos gyfan o fwynhau o dy flaen,' meddai ei thad. 'Mi fyddi di'n frown fel cneuen erbyn diwedd yr wythnos.'

Rhoddodd ei law ar ei hysgwydd a cherdded gyda hi i gyfeiriad y lleill. Roedd Lisa a Wyn a Sam yn edrych yn od arni. Tybed welson nhw yr hen ŵr hefyd?

'Beth oedd yn bod?' holodd Lisa'n ddistaw.

'Yr hen ŵr,' meddai Non. 'Roedd o yna. Eisio imi fynd yn ôl i'r dŵr. A fedrwn i ddim peidio. Roedd yn *rhaid* imi ufuddhau.'

'Roeddet ti'n cerdded yn od,' sibrydodd Lisa. 'Fel pyped.'

Ond doedd dim modd siarad ychwaneg. Roedd y bwyd o'u blaen a Sam a Wyn yn bwyta'n harti, er bod y ddau yn edrych o gil eu llygaid arni bob yn hyn a hyn. Ond doedd ei rhieni na Mr a Mrs Jones wedi amau bod dim byd o'i le.

'Mi fedrwch ymdrochi faint fynnoch chi y pnawn 'ma,' meddai Mrs Jones. 'Mi eisteddwn ninnau yma i fwynhau'r heulwen.'

Criw digon distaw a anelodd yn ôl am y môr. Safasant yn gylch i wrando ar Non yn dweud am yr hen ŵr. Ac wedyn fe drodd pawb i lygadu'r môr. Ond, wrth gwrs, doedd yna ddim i'w weld ond tonnau ysgafn a'r haul yn tywynnu arnyn nhw, ac ychydig o wylanod yn hedfan yn swnllyd uwchben.

'Wyt ti'n siŵr bod hynna wedi digwydd?' holodd Wyn.

'Ydw,' meddai Non.

'Mae o 'run fath â'r llyfr hwnnw, felly,' meddai Wyn. 'Ysbryd wedi cael cam ydi o, ac eisio dial.'

'Pam dial arna i?' meddai Non. 'Dydw i wedi gwneud dim byd iddo fo.'

'Naddo . . . ond pethau rhyfedd ydi ysbrydion,' meddai Wyn yn wybodus.

Ond er iddyn nhw ymdrochi ychydig a thrafod llawer, doedden nhw fymryn nes at ddatrys y dirgelwch pan gyrhaeddon nhw'n ôl i'r bythynnod amser swper.

'Efalla na ddigwyddith dim eto,' cysurodd Lisa wrth iddynt ffarwelio tan bore trannoeth.

'Ond, rywsut, doedd 'run ohonyn nhw'n credu hynny chwaith.

8

Dringodd Non yn flinedig i'w llofft. Erbyn hyn, roedd yr haul wedi machlud, a gwynt ysgafn yn cwyno wrth y ffenest. Ond er ei bod hi'n ddigon golau iddi edrych trwyddi, roedd arni ofn eistedd ar y sedd isel, ac ofn edrych i gyfeiriad y môr hefyd. Roedd hi'n siŵr bod yr hen ŵr ar ben y stepiau unwaith eto.

Ond roedd yn rhaid iddi gau'r ffenest. Er mwyn teimlo'n fwy diogel. Caeodd ei llygaid rhag ofn ei weld, a phlygu i'w chau. Ochneidiodd yn ddiolchgar. Fedrai'r hen ŵr ddim dod i mewn trwy ffenest gaeëdig, yn na fedrai?

Dadwisgodd yn araf a rhoi ei phyjamas amdani. Aeth ias o gryndod trwyddi wrth iddi ddringo i'r gwely sengl. Roedd yn oer yn sydyn yn y llofft, ac yn oerach fyth rhwng y cynfasau. Gorweddodd yno a'i phenliniau wedi eu codi at ei gên i gadw'n gynnes. Roedd pobman fel rhew, ac yn drymaidd od hefyd. Fel petai'r aer o'i chwmpas yn flanced drom a honno'n pwyso arni a'i charcharu oddi tani. Fedrai hi ddim symud am funudau hir, dim ond gorwedd yno ac edrych yn ofnus ar y nenfwd uwch ei phen.

Fedrai hi ddim cysgu. Tywyllodd y llofft yn

araf wrth iddi nosi. Dechreuodd cysgodion ysgafn ymgasglu yng nghorneli'r ystafell, ond roedd yna ddigon o olau dydd i ddangos siâp y bwrdd ymolchi, a'r bachyn dal dillad ar gefn y drws, a'r siampler 'Duw Cariad Yw' ar y wal hefyd.

Dychmygodd Non weld patrymau'n troelli ar y nenfwd, fel pe baent yn siapau a welid trwy niwl ysgafn. Siâp cwch hwyliau . . . môr a'r tonnau'n dymchwel yn ffyrnig arno . . . ac wyneb hen ŵr yn gwenu'n glên, ac yna'n gas arni. Does dim yna, ceisiodd ei darbwyllo ei hun. Wrth gwrs, does 'na ddim. Dychmygu pethau ydw i ar ôl y profiadau ar y traeth heddiw. Ond er iddi gau ei llygaid a'u hagor drachefn, roedd y patrymau niwlog yn aros. Ac roedd yr oerni'n cynyddu yn yr ystafell nes bod ei dannedd yn clecian.

Roedd yn rhaid iddi godi i chwilio am flanced arall i'w rhoi ar ei gwely. Er nad oedd hi eisio codi, ac er bod arni ofn! Am ei bod hi'n gwybod bod yr hen ŵr yn disgwyl iddi godi, ac am fynnu ei bod yn penlinio ar y sedd isel wrth y ffenest ac edrych arno. Roedd o'n gryfach na hi, ac yn fwy penderfynol. Roedd o'n disgwyl amdani.

Cododd o'r gwely a symud ar goesau prennaidd at y ffenest. Fedrai'r hen ŵr mo'i gorfodi i edrych allan, yn na fedrai? Ond ufuddhau wnaeth hi. Er bod ei nerfau'n sgrechian arni i beidio.

Penliniodd ar y sedd a chraffu i gyfeiriad y stepiau a'i chalon yn ei gwddf. Llifodd y rhyddhad trwyddi. *Doedd o ddim yno!* Wedi iddi ofni cymaint, doedd o ddim yno!

Dechreuodd godi. Yna digwyddodd edrych yn fanylach ar y bwthyn . . . ac ar giât fach yr ardd. Rhewodd. Roedd yr hen ŵr yno! Fe welai siâp ei gorff a'i gap pig. Ac roedd hi'n siŵr ei fod yn syllu arni ac yn gwenu.

Rydw i'n nes atat ti. Rydw i'n disgwyl.

A glywodd hi'r geiriau mewn difri, ynteu eu dychmygu wnaeth hi? Ceisiodd godi ar goesau crynedig. Ond disgynnodd wysg ei chefn ar y llawr coed.

'Non!'

Llais ei mam. Yna daeth sŵn ei thraed yn rhuthro i fyny'r grisiau ac am y llofft.

'Be ddigwyddodd? Syrthio wnest ti?'

Fedrai Non ddim ateb, dim ond gorwedd yn sypyn diymadferth ar y llawr. Syllodd ei mam arni'n syn. 'Ro'n i'n meddwl dy fod ti'n cysgu ers meitin.'

'Yn oer. Eisio blanced arall,' meddai Non yn wantan.

'Blanced arall? Mae hi fel popty yn y llofft 'ma. A pham wyt ti wedi cau'r ffenest?' Plygodd Mrs Ellis i'w hagor yn flin.

'Oes 'na . . . rywun . . . i'w weld?' holodd Non yn ofnus.

'Rhywun i'w weld? Mae hi bron a thywyllu, Non. Pwy oeddet ti'n ddisgwyl? Lisa a Wyn, debyg. Maen nhw yn eu gwelâu ers meitin, siŵr iawn.'

Gwyliodd Mrs Ellis hi'n codi'n afrosgo.

'I dy wely, da ti, a dim rhagor o eistedd wrth y ffenest 'na eto.'

Rhyfedd! Wedi i'w mam fynd, roedd hi'n berffaith gynnes yn y llofft. Swatiodd Non yn is o dan y dillad. Lle'r oedd yr hen ŵr? Oedd o am fynnu dod i mewn i'r bwthyn? Oedd o am ddod i'w llofft?

Llygadodd Non ddrws cilagored ei hystafell yn ofnus. Tybed oedd o wedi cyrraedd y lobi? Oedd o ar y landin, a'i rhieni heb ei glywed?

Bu bron iddi â sgrechian pan wthiwyd y drws ar agor yn araf bach. Aeth ei gwddf yn sych grimp a gafaelodd yn dynn yn y cwrlid a'i llygaid yn sefydlog arno. Plîs! Plîs! Doedd hi ddim eisio gweld yr hen ŵr eto. Ddim yn ei llofft. Plîs!

Agorodd y drws led y pen a daeth Sam i mewn ar flaenau'i draed.

'Psst! Be ddigwyddodd?' holodd. 'Mi glywais i thwmp, a Mam yn dweud y drefn.'

'Yr hen ŵr 'na,' meddai Non. 'Mi welais i 'i siâp o eto. Ond y fo oedd o, er ei bod hi bron â thywyllu. Ac nid ar ben y stepiau oedd o, ond wrth giât yr ardd. Mae o'n dŵad yn nes, Sam. Roedd o yna, yn edrych i fyny'n gas arna i. Mae o eisio rywbeth, ac mae arna i ei ofn o.'

Plygodd Sam i edrych trwy'r ffenest.

'Twt! Wela i ddim cysgod neb,' meddai. 'Wyt ti'n siŵr nad dychmygu oeddet ti?'

'Naci ddim,' meddai.

Ond . . . efallai mai Sam oedd yn iawn. Efallai mai dychmygu oedd hi. Ond rywsut, fedrai hi mo'i chysuro ei hun.

9

Aeth Non a Sam i nôl eu ffrindiau i'w bwthyn nhw fore trannoeth.

'Tyrd i weld fy llofft i,' meddai Lisa.

Dringodd Non i fyny'r grisiau carped coch trwchus gyda hi.

'Waw!' meddai pan welodd y llofft.

Roedd gwely isel gyda chwrlid ysgafn arno yng nghanol y llawr, a wardrob a bwrdd gwisgo modern wrth y waliau. A charped glas hardd yn cuddio'r llawr hefyd.

'Grêt!' meddai'n eiddigeddus. 'Mae fy llofft i'n henffasiwn ofnadwy.'

Ac yn codi ofn arna i hefyd, meddyliodd. Yn enwedig pan ydw i'n gweld yr hen ŵr trwy'r ffenest.

Aeth y ddwy i lawr y grisiau at y bechgyn ac allan at y stepiau wedyn.

'Dydw i ddim yn mynd i'r traeth heddiw,' meddai Non yn gadarn. 'Dallt?'

'Be wnawn ni, 'ta,' holodd Lisa.

'Beth am fynd i'r pentre?' cynigiodd Non.

Er eu bod nhw wedi teithio trwy bentre Aberdwylan wrth ddod i'r bwthyn, doedden nhw ddim wedi bod yn y siopau.

'Plîs!' meddai wedyn. Roedd hi eisio mynd yn ddigon pell o'r traeth a'r bwthyn.

'Dwyt ti ddim am ymdrochi heddiw?' holodd Lisa'n siomedig.

'Dydw i ddim eisio mynd i'r traeth,' meddai Non yn styfnig.

'Mae hi wedi gweld yr hen ŵr 'na eto,' eglurodd Sam.

'Be? Ar ben y stepiau?' holodd Wyn yn llawn diddordeb.

'Naci. Wrth giât yr ardd. Mae o'n dŵad yn nes. Mae o eisio rywbeth.'

'Ysbryd ydi o,' haerodd Wyn yn wybodus. 'Efalla fod a wnelo fo rywbeth â'r bwthyn erstalwm. Pan oedd o'n fyw. Ac efalla nad ydi o'n lecio gweld neb yn aros ynddo fo.'

'Gwrando arnat ti,' wfftiodd Sam. 'Proffesor Wyn Jones yn gwybod popeth!'

'Wel . . .' meddai Wyn. 'Mae hynna'n un eglurhad, tydi?'

'Dychmygu mae Non,' meddai Sam.

Ond doedd yna fawr o gadernid yn ei lais. Er ei fod o'n smalio wfftio, roedd o'n dechrau teimlo bod Wyn yn iawn. Fe welodd Non yr hen ŵr droeon, ac roedd arni ofn gwirioneddol. Ac os mai ysbryd oedd o, roedd o'n mynnu aros o gwmpas y bwthyn a'r traeth. Ac yn waeth fyth . . . o gwmpas Non!

Ond pam roedd o'n ymddangos iddi hi ac i neb arall? Roedd o, Sam, yn aros yn y bwthyn hefyd.

'Ond sut ydan ni am gael gwared ohono fo?' holodd Non yn anobeithiol. 'Dydw i ddim eisio aros yma am wythnos a'i weld o hyd.'

'Rhaid inni ddarganfod mwy amdano fo,' meddai Wyn. 'Holi pobl ac yn y blaen.'

'Ond holi pwy?' holodd Sam.

'Wn i ddim,' meddai Wyn. 'Pobl sy'n byw o gwmpas,' meddai wedyn. 'Maen nhw'n siŵr o wybod hanes y bwthyn. A hanes y *Lili Wen* hefyd.'

Aeth ias trwy gorff Non. Sut oedd hi'n gwybod beth oedd enw'r cwch cyn ei weld? A pham oedd hi'n breuddwydio am hwylio cwch a'r hen ŵr wrth y llyw?

'Bythynnod gwyliau ydi'r rhain i gyd,' meddai Sam. 'Waeth inni heb â holi pobl ddieithr.'

'Mi gerddwn ni i Aberdwylan fel mae Non eisio,' meddai Wyn. 'Efalla y gwelwn ni rywun yn fan'no.'

Wedi dweud wrth eu rhieni, a chael y rhybuddion arferol am fihafio'u hunain a gofalu edrych cyn croesi'r ffordd, fe gychwynnodd y pedwar. Roedd ganddyn nhw gryn ffordd i gerdded i'r pentre.

'Beth am ddefnyddio'r llwybr yna?' holodd Wyn. 'Mae'r arwyddbost yn dweud Aberdwylan.'

Cytunodd pawb. Fe droellai'r llwybr hyd ben clogwyn isel. Roedd wal gadarn wedi'i hadeiladu rhyngddyn nhw a'r traethau islaw. Pwysodd Wyn arni ac edrych i lawr.

'Drychwch!' meddai. 'Mae'r cwch a'r lanfa reit oddi tanon ni.'

'Dydw i ddim am edrych,' meddai Non. Dechreuodd deimlo'n chwys oer drosti. 'Dydw i ddim eisio.'

Pwysodd y tri arall ar y wal a syllu i lawr.

'Does 'na neb ar y traeth yma heddiw chwaith,' meddai Sam. 'Rhyfedd nad ydi pobl wedi'i ddarganfod o.'

'Efalla bod 'na draeth gwell yn agosach at y pentre,' meddai Wyn. 'Mwy o dywod a ballu.'

A dim byd i ddychryn rhywun arno fo,' meddyliodd Non.

'Dowch,' erfyniodd yn nerfus. Doedd hi ddim eisio sefyll yno a gwybod bod y lleill yn edrych i lawr ar *Lili Wen* a'r lanfa. Edrychodd o'i chwmpas yn nerfus eto. Roedd hi'n ofni gweld yr hen ŵr i fyny yma hefyd. 'Dowch,' meddai eto.

Roedd pentre Aberdwylan yn le eitha mawr. Roedd yna res o dai cyngor a stad gyfan o dai newydd moethus ar y cyrion. Ac ar y sgwâr roedd yna nifer reit dda o siopau, a rheiny i gyd bron yn gwerthu fferins a phapurau newydd, bwcedi glan y môr a nwyddau plastig. Ar y dde i'r sgwâr, roedd yna gaffi'n hysbysebu teisennau cartre a chrefftau lleol.

'Lle'r awn ni gynta?' holodd Lisa.

'I mewn i'r siop yma i holi,' meddai Sam.

Wrth gwrs, meddwl am yr arian yn llosgi yn ei

boced oedd o. Roedd ganddo ddigon i brynu comic neu ddau ac ychydig o fferins hefyd.

'Grêt!' meddai wedi iddynt fynd i mewn.

Roedd dynes canol oed y tu ôl i'r cownter.

'Mae honna'n siŵr o wybod hanes y lle 'ma,' meddai Sam yn ddistaw wrth Wyn.

Gafaelodd yn ei hoff gomic a mynd at y cownter. Dewisodd baced o fferins hefyd cyn estyn arian i dalu.

'Ymmm-m!'

Doedd o ddim yn siŵr iawn sut i ddechrau holi. Cliriodd ei wddf yn swnllyd.

'*Yes?*' meddai'r ddynes wrth dderbyn yr arian.

'Meddwl tybed oeddech chi'n gwybod hanes y cwch 'na wrth yr hen lanfa,' meddai Sam. '*Lili Wen.*'

'Y . . . cwch? *Sorry, I don't speak much Welsh,*' meddai'r ddynes. 'Dim ond . . . tipyn bach.'

'*We're doing a project for school,*' meddai Wyn yn gelwyddog. '*About the village.*'

'*Oh, I see,*' meddai'r ddynes. '*I can't help you much, I'm afraid. We haven't lived here long.*' Plygodd i sbecian trwy'r ffenest. '*Ask old Cradog Rees,*' meddai wedyn. '*He's sitting on the bench over there. He should know.*'

Wedi diolch iddi, aeth y pedwar allan. Eisteddai Cradog Rees ar fainc o dan goeden yng nghanol y sgwâr. Roedd het flêr am ei ben a chetyn yn byrlymu cymylau o fwg yn ei geg. Daliai ffon rhwng ei bengliniau a phwysai arni i wylio'r mynd a dod prysur ar y sgwâr.

Gwyliodd y pedwar o dan ei aeliau trwchus.

'Pwy sydd am ofyn iddo fo?' holodd Lisa.

'Mi wna i,' meddai Wyn.

Cerddodd y pedwar tuag ato.

'A be mae pedwar o blant yn ei wneud yma yn lle bod ar y traeth?' holodd Cradog Rees.

'Ymm-mm!' meddai Wyn. 'Dŵad i . . .'

'Holi,' meddai Sam.

'O!' oedd yr ateb. 'Holi be, felly?'

'Holi hanes y pentre a glan y môr,' meddai Wyn. 'Prosiect ysgol.'

'Felly,' meddai Cradog Rees.

'Meddwl y medrech chi ein helpu,' meddai Lisa. 'Dynes y siop yn dweud . . .'

'Dydi honna'n gwybod dim,' meddai Cradog Rees yn sych. 'Rydw i wedi byw yma rioed, a 'nhad a 'nhaid o 'mlaen i.'

Fedrai Non ddim dal rhagor. 'Ia . . . ond dach chi'n gwybod hanes bwthyn Gwêl y Don a'r cwch *Lili Wen*?' holodd.

Am eiliad, fe ddaeth edrychiad od dros wyneb Cradog Rees. 'Pam holi am rheiny?' gofynnodd o'r diwedd.

'O . . . jest . . .' cychwynnodd Non.

'Rydan ni'n aros yn Gwêl y Don, ac wedi gweld sgerbwd *Lili Wen*,' eglurodd Sam. 'Dach chi'n gwybod rhywbeth amdanyn nhw?'

'Ydw . . .' oedd yr ateb araf.

Disgwyliodd y pedwar yn eiddgar. Ond roedd Cradog Rees wedi syrthio i fyfyrdod rhyfedd, fel pe bai o'n cofio'n ôl ac wedi anghofio'n llwyr amdanyn nhw.

Rhoddodd Sam bwniad i Wyn yn ei ochr.

'Deuda rywbeth,' gorchmynnodd.

'Ymm-mm . . .' cychwynnodd Wyn.

Ochneidiodd Cradog Rees yn sydyn ac edrych arnyn nhw trwy lygaid craff.

'Rhyfedd eich bod chi'n holi am hen hanes fel'na,' meddai. 'A chithau'n gwneud prosiect am y pentre cyfan. Ydach chi'n siŵr eich bod chi'n dweud y gwir?'

'O . . . ydyn,' tyngodd y pedwar, gan groesi'u bysedd.

Eisteddodd Cradog Rees yn ddistaw am eiliadau hir eto. Ond roedd o'n dal i graffu arnyn nhw o dan ei aeliau. Yna . . .

'Cwch 'rhen Eban oedd *Lili Wen*,' esboniodd. 'Cyn fy amser i, cofiwch. Mi fydda fo a'i ferch yn mynd allan ynddo fo, yn ôl yr hanes. Waeth beth oedd y tywydd. A dyna sut y collwyd y ddau. Storm, a chwch gwag yn cael ei olchi i'r lan.'

Llyncodd Non boer yn sydyn wrth gofio am ei breuddwyd. Allan ar y môr oedd hi, yn y cwch, a'r hen ŵr wrth y llyw. Teimlodd yr un sâl môr yn ei stumog wrth gofio, a'r un ofn hefyd.

'Ia,' meddai Cradog Rees eto. 'Fe olchwyd corff ei ferch, Non, i'r lan, ond chafwyd byth hyd i gorff Eban druan.'

Edrychodd Non yn syn arno. 'Non?' holodd trwy wefusau sychion.

'Ia,' meddai Cradog Rees. 'Wedi ei chladdu yn yr un bedd â'i mam yn y fynwent tu ôl i'r eglwys, os leciwch chi fynd i'w weld. Ac mae 'na amgueddfa fechan yn ymyl y fynwent hefyd. Yno y cewch chi holl hanes y pentre 'ma.'

Craffodd arnynt o un i un am eiliad.

'Os mai dyna beth ydach chi eisio,' ychwanegodd o dan ei wynt bron.

'Ia,' meddai pawb yn anghyfforddus. 'Diolch yn fawr i chi.'

'Ac mi oeddech chi'n holi am fwthyn Gwêl y Don,' meddai Cradog Rees. 'Wel . . . fan'no oedd cartref 'rhen Eban.'

10

Pedwar distaw iawn a gerddodd tuag at yr eglwys a'r fynwent.

'Glywsoch chi?' meddai Non o'r diwedd. 'Non oedd enw ei ferch o. *'Run enw â fi!*'

'Ia . . . ond dydi hynny'n golygu dim byd . . .' cychwynnodd Sam.

'Ac roedd o'n byw yn ein bwthyn ni,' meddai Non yn grynedig. 'Pam mae o'n dŵad yn ei ôl? Pam mae o'n fy mhoeni i? Be mae o eisio?'

Doedd gan 'run ohonyn nhw ateb.

'Dydw i ddim eisio chwilio am y bedd,' meddai Non, ar ôl iddynt gyrraedd y fynwent. 'Mae arna i ormod o ofn.'

'Ond mae'n rhaid inni,' meddai Sam. 'Chawn ni ddim gwybod os na wnawn ni.'

'Ewch chi, 'ta,' meddai Non.

Eisteddodd ar y glaswellt y tu mewn i'r giât yn benderfynol. Gwyliodd y tri arall yn cerdded yn araf o gwmpas y beddau. Dydw i ddim am chwilio, meddyliodd. Dim ond am eistedd yma a disgwyl iddyn nhw ddŵad yn ôl.

Ond o dipyn i beth fe ddechreuodd deimlo'n annifyr. Roedd fel pe bai ei llygaid yn cael eu tynnu i gyfeiriad un llecyn arbennig yn y fynwent, a rhywbeth yn ei gorfodi i godi a cherdded yno.

Cododd yn anfodlon a chychwyn yn araf am y fan. Roedd hen, hen feddau yno, rhai wedi cwympo a'u cistiau'n hanner agored, rhai eraill yn gogwyddo i'r chwith neu'r dde yn feddwol. Cerddodd yn araf rhyngddynt. Rywsut, fe wyddai yn union lle'r oedd hi yn mynd: at garreg fechan wedi hanner ei gorchuddio efo gwelltglas crin.

Cyrhaeddodd ati a phenlinio wrth ei hochr. Rhwbiodd ei bysedd dros y sgrifen a dorrwyd arni. Craffodd.

'Er cof am Elin Jones, gwraig a mam annwyl.

Gwêl y Don, Aberdwylan.

Hefyd, ei merch, Non, a hunodd mewn damwain ar y môr mawr yn un ar ddeg oed.'

'Run oed â hi! 'Run enw â hi! Aeth ias oer trwy'i chorff.

'Fan'ma wyt ti? Gefaist ti hyd i'r bedd?'

Clywodd lais Lisa'n galw arni.

'Do.'

Fe wyddai Non bod ei llais yn grynedig ac ofnus wrth iddi ateb. Plygodd y tri i ddarllen y sgrifen. Bu pawb yn ddistaw am eiliadau hir.

'Well inni fynd i'r amgueddfa,' cynigiodd Wyn o'r diwedd.

Fe wyddai Non bod yn rhaid iddi wynebu hanes *Lili Wen* ac Eban Jones, a Non ei ferch hefyd. Dyna'r unig ffordd y deallai hi beth oedd yr hen ŵr eisio. Eban Jones oedd o, ac roedd o angen

49

help. Am ei bod hi yr un enw â'i ferch, ac yn aros yn eu hen gartref.

Cododd yn benderfynol er bod ei chalon yn gwegian.

'Ia,' meddai. 'Dowch.'

Roedd yr amgueddfa mewn adeilad bychan o frics coch yn union y tu ôl i'r eglwys. Cerddodd y pedwar i fyny'r stepiau a thrwy'r drws.

Roedd y lle'n wag a distaw. Doedd neb i'w weld y tu ôl i'r ddesg yn y cyntedd.

'Helô!' galwodd Wyn.

Daeth ateb gwan o'r cefn.

'Efo chi rŵan.'

Agorodd drws yn y cyntedd, a thrwyddo daeth dyn tal efo sbectol drwchus hanner ffordd i lawr ei drwyn. Edrychodd arnynt braidd yn ddrwgdybus.

'Eisio gweld yr arddangosfa ydach chi?'

'Ia,' meddai Wyn. 'Gwneud prosiect.'

'Dalltwch. Dim bwyta hufen iâ, dim caniau lemonêd na gollwng papurau fferins ar y llawr,' oedd y gorchymyn. 'Pris isel i blant. Pum deg ceiniog yr un.'

'Oes eisio talu?' holodd Sam yn anghredinol. 'Am weld hen bethau?'

'Eich dewis chi ydi o,' meddai'r dyn yn surbwch. 'Mae angen arian i ofalu am le fel hwn.'

Ac i dalu cyflog gofalwr surbwch hefyd, meddyliodd Sam.

Wedi hir chwilota a rhannu arian mân efo'i gilydd, fe gawson nhw fynd i mewn.

'Mi fydda i'n cadw llygaid arnoch chi,' rhybuddiodd y gofalwr.

'Sinach,' meddai Sam o dan ei wynt.

Cerddodd y pedwar trwy'r drws ac i'r arddangosfa. Roedd hen ddarluniau ar y wal, darluniau brown a gwyn o oes y cert a cheffyl, yn dangos merched mewn sgertiau llaes, duon, a dynion mewn trowsusau pen-glin a hetiau ar eu pennau.

Roedd yna ddigon o hen ddodrefn hefyd: cadair siglo efo siôl wedi'i chrosio arni, coets babi efo olwynion cul, uchel, tecell ar grât fechan ddu, henffasiwn, a llestri tsieni wedi'u gosod ar fwrdd crwn. Roedd pwt o esboniad uwchben popeth, ac enw'r person a roddodd y pethau'n anrheg i'r amgueddfa.

'Does 'na ddim am y môr a'r traeth yma,' meddai Non yn siomedig.

'Trwodd fan'cw,' meddai Lisa. 'Edrych, mae'r arwydd yn dweud.'

Cerddodd pawb i'r ystafell arall. Roedd popeth yno yn ymwneud â'r môr. Ochneidiodd Non mewn syndod wrth weld modelau o gychod hwylio a lluniau o ddynion yn union fel yr hen ŵr uwch eu pennau.

Cerddodd pawb yn araf o un i un, a darllen yr wybodaeth oedd oddi tanynt.

'Does dim gair yma am *Lili Wen* nac am Eban Jones,' meddai Wyn yn siomedig.

Yna safodd Non yn stond o flaen model bychan mewn cas gwydr. Plygodd i weld yr enw. Ond fe wyddai'n iawn beth oedd o cyn edrych. *Lili Wen!*

'Dyma fo,' sibrydodd gan afael yn dynn ym mraich Lisa.

'Ia,' atebodd Lisa yr un mor ddistaw.

Darllenodd y pedwar yr hanes.

Dyma fodel o gwch hwylio enwocaf Aberdwylan. Bu Eban Jones a'i ferch, Non, yn hwylio Lili Wen *ar bob tywydd. Enillodd Eban y ras cychod hwylio yn y flwyddyn 1901, ac wedyn yn y flwyddyn 1902. Ond collodd ef a'i ferch eu bywydau mewn storm enbyd ddyddiau'n unig yn ddiweddarach.*

Edrychodd pawb ar ei gilydd. Yna sylwodd Lisa ar lun gerllaw, llun o hen ŵr a'i ferch yn sefyll yn ymyl cwch hwylio. Roedd yr enw *Lili Wen* yn glir ar ei ochr.

'Non!' meddai mewn dychryn.

'Be?'

'Sbia ar y llun!'

Rhewodd calon Non wrth iddi edrych arno. Roedd yr hen ŵr ynddo, ac wrth ei ochr safai geneth mewn dillad henffasiwn. Ond ar wyneb y ferch y sefydlodd hi ei llygaid. Roedd hi'n adnabod yr wyneb yna. Dyna'r wyneb a welai hi bob dydd wrth edrych yn y drych. *Ei hwyneb hi!*

Fedrai Non ddim atal y crynu yn ei stumog wrth iddi adael yr amgueddfa.

'Y fi oedd yn y llun. *Y fi!*' meddai'n anghredinol.

'Dim ond rhywun tebyg iti,' meddai Sam yn anghyfforddus.

Ond doedd Non ddim yn ei gredu.

'Mae 'na esboniad yn siŵr o fod,' meddai Wyn. 'Mae gan pawb "ddwbl", medden nhw. Rhywun yn rhywle sy 'run ffunud â nhw.'

Criw tawel iawn a gerddodd yn ôl i Gwêl y Don.

'Wel,' meddai Mr Ellis. 'Be welsoch chi yn y pentre?'

'Ymm-mm! Dim llawer o ddim,' meddai Sam.

'Debyg bod 'na ddigon o siopau fferins yno,' chwarddodd ei fam.

'Oedd 'na rywbeth diddorol yno?' holodd Mr Ellis eto. 'Dwi'n siŵr imi glywed sôn am amgueddfa. Welsoch chi hi?'

Doedden nhw ddim eisio cael eu holi ragor. Yn enwedig gan fod Mrs Ellis wedi dechrau llygadu wyneb gwelw Non.

'Wyt ti'n teimlo'n iawn?' holodd yn bryderus.

'Rydan ni ar y ffordd i'r traeth,' eglurodd Sam yn frysiog.

'Mae dy fflip-fflops di wrth y drws,' meddai Mrs Ellis wrth Non. 'Roeddet ti'n ffysian digon amdanyn nhw cyn cychwyn yma.'

'Iawn,' cytunodd Non yn llipa.

Edrychodd Mrs Ellis yn ddrwgdybus arni eto.

'A phaid ti ag aros gormod yn yr haul,' rhybuddiodd. 'A byddwch yn ofalus . . .' galwodd wrth i'r pedwar ddiflannu am y stepiau.

Roedd yn dda gan Non ddianc oddi wrth lygaid ei mam. Yn ei brys, fe anghofiodd nad oedd hi eisio mynd i'r traeth.

Wedi cyrraedd gwaelod y stepiau, fe safodd yn stond. Doedd hi ddim eisio bod yma! Ond wyddai hi ddim lle arall i fynd. Eisteddodd ar y cerrig mân gan deimlo'n annifyr.

'Be wnawn ni? Jest trochi'n traed?' holodd Lisa.

'Well gen i eistedd yn fan'ma,' meddai Non. 'Ewch chi.'

Safodd pawb yn ansicr.

'Os wyt ti'n siŵr . . .' meddai Lisa.

'Ydw,' atebodd Non yn swta.

Roedd arni angen amser i feddwl. Ac i arfer eto'r ofn cynyddol a deimlai hefyd. Beth wnâi hi? Roedd yna ddyddiau eto cyn iddi allu mynd yn ôl adref. A beth petai Eban yn ei dilyn yno hefyd? A *byth* am adael llonydd iddi?

'Mi arhosa i efo ti,' cynigiodd Lisa.

'Na. Dos di. Mi fydda i'n iawn yn fan'ma.'

Ufuddhaodd Lisa yn anfodlon. Wrth iddi gerdded i lawr am y dŵr, fe arhosodd droeon ac edrych yn ôl ar Non fel pe bai hi am wneud yn siŵr ei bod yn ddiogel yn eistedd ar y cerrig mân.

Syllodd Non allan i'r môr. Mor dawel yr edrychai pobman! Roedd y môr yn llonydd, y tywod yn sgleinio'n felyn yn yr heulwen, a chri'r gwylanod yn uchel uwchben. Ymlaciodd ychydig a dechrau anghofio am ei hofn.

Yn araf, daeth teimlad rhyfedd drosti. Roedd rhywbeth yn dweud wrthi am gerdded ar hyd y traeth, ac at y creigiau a oedd rhyngddi a thraeth *Lili Wen*. Fedrai hi ddim gwrthod, a rywsut, doedd hi ddim eisio gwrthod chwaith.

Cododd a dechrau cerdded yn freuddwydiol. Nesaodd at y creigiau a anelai'n bigog i'r môr. Roedd y llanw'n dod i mewn a'r tonnau'n ymgripio'n araf ar hyd y traeth. Ond doedd hynny ddim yn bwysig. Cyrraedd at y creigiau oedd yn bwysig a disgwyl . . . wyddai hi ddim am beth.

Cerddodd ymlaen mewn hanner breuddwyd. Baglodd ychydig a cholli un o'i fflip-fflops. Dim ots. Doedd arni mo'u hangen. Tynnodd y llall hefyd a'u gadael yn bentwr bychan, coch ar y tywod. Cyrhaeddodd y traeth pellaf ac eistedd ar graig isel yn agos at y tonnau. Roedd yn braf yno. Yn dawel. Yn gynnes. Yn ddiogel.

Disgwyliodd. Ymgripiodd y môr yn nes at y

creigiau. Cododd y gwynt a ffyrnigodd y tonnau i chwipio'n farus amdanynt. Roedd ewyn môr yn wlyb ar ei hwyneb a'i gwallt. Dim ots. Disgwyliodd.

Yna gwelodd y cwch hwylio yn nesáu'n araf tua'r lan.

12

Ar y traeth arall, trochai'r tri eu traed yn ddioglyd a chwilio am gregyn.

'Ble mae Non?' gwaeddodd Lisa yn sydyn. 'Dydi hi ddim yna!'

Edrychodd pawb yn wyllt i'r chwith a'r dde. Doedd dim golwg ohoni.

'Falla ei bod hi wedi mynd 'nôl i'r bwthyn,' meddai Lisa'n bryderus. 'Mi ddyliwn i fod wedi aros efo hi.'

Safodd Wyn a'i law yn cysgodi'i lygaid rhag yr haul. Craffodd i bob cyfeiriad. Yna gwelodd bentwr bychan coch ar y tywod yn y pellter. Craffodd eilwaith. Fflip-fflops Non! Dyna oedd yna!

'Fflip-fflops coch Non!' meddai'n gynhyrfus.

Cychwynnodd ar ras tuag atynt a'r dau arall wrth ei gwt.

'Mae rhywbeth wedi digwydd iddi,' gwaeddodd.

Eisteddai Non yn fodlon ar y graig. Llyfai'r tonnau dros ei thraed. Ond doedd arni hi ddim ofn. Roedd popeth yn iawn a hithau'n disgwyl i'r cwch gyrraedd ati. A doedd o ddim yn syndod gweld yr hen ŵr, Eban, ynddo chwaith. Wrth gwrs! Roedd o am iddi gamu i'r cwch a hwylio 'mhell o'r lan. Edrychodd ar ei wyneb a gweld ei wên fodlon wrth iddo lywio'r cwch tuag ati.

Cododd Non ar ei thraed a cherdded i'r tonnau. Roedden nhw'n cyrraedd dros ei thraed . . . at ei phengliniau . . . yn uwch. Ond doedd dim ots. Roedd yr hen ŵr yn disgwyl amdani . . . yn estyn ei freichiau i'w choesawu.

'NON!' bloeddiodd y tri. 'NON!'

'Mae hi'n cerdded i'r môr,' gwaeddodd Lisa yn syfrdan.

Yna gwelsant gysgod cwch hwylio a ffigur aneglur yr hen ŵr arno. Dychrynodd pawb. Roedd Non mewn perygl. Roedd hi yng nghanol y tonnau, ac yn cerdded at gysgod y cwch. Roedd yn *rhaid* iddyn nhw ei hachub!

'NON!' sgrechiodd Lisa.

Nesaodd y cwch at Non a gwelsant gysgod breichiau'r hen ŵr yn cyrraedd amdani.

Cyrhaeddodd y tri ar ras wyllt a neidio i'r tonnau. Sblasiodd y tri ymlaen at Non a'u taflu eu hunain i afael ynddi. Ond roedd Non wedi'i swyno. Doedd arni ddim *eisio* cael ei hachub. Dechreuodd gicio a strancio wrth geisio ymestyn i gyrraedd breichiau'r hen ŵr. Yn yr ymrafael, syrthiodd y pedwar yn bentwr rywsut rywsut i ganol y tonnau.

'Gafaelwch ynddi hi! Peidiwch â gadael iddi fynd ato fo,' bloeddiodd Sam gan afael fel gelen ym mraich ei chwaer.

'Non!' sgrechiodd Lisa yn ei chlust. 'Deffra, wnei di? Paid â mynd!'

Yna diflannodd cysgodion y cwch a'r hen ŵr.

Yr eiliad honno, daeth Non ati'i hun. Syllodd yn syn arnyn nhw o'r dŵr. Pam oedd hi yn y môr? Pam oedd Wyn a Sam a Lisa yno efo hi, yn bloeddio a bygwth ar dop eu lleisiau?

Tynnodd y tri hi i'r lan, gan ddisgyn yn un pentwr gwlyb socian ar y tywod. Ond doedden nhw ddim am ollwng eu gafael ynddi. Ddim nes roedden nhw'n siŵr bod cysgod yr hen ŵr wedi mynd o ddifri, a bod Non wedi dod ati'i hun.

'Be ddigwyddodd?' holodd Non yn grynedig o'r diwedd.

'Yr hen ŵr 'na,' meddai Lisa yr un mor grynedig.

'Mi welson ni gysgod y cwch ac Eban ynddo fo,' meddai Wyn. 'Pam oeddet ti'n mynd ato fo?'

'Oeddwn i?' holodd Non yn ddryslyd.

'Oeddet,' meddai Sam. 'Dyna beth hurt i'w wneud.

'Ond . . . dydw i'n cofio dim . . .' meddai Non.

Edrychodd pawb i gyfeiriad y môr. Doedd yna ddim golwg o gwch na hen ŵr.

'Mae o wedi mynd,' ebychodd Lisa yn ddiolchgar.

'Ond am faint?' holodd Wyn yn ddistaw. 'Mae o'n benderfynol.'

Dechreuodd y pedwar grynu yn ei dillad gwlyb, a chychwyn yn dawedog i gyfeiriad y stepiau.

'Mi fydd Mam a Dad yn gandryll,' ochneidiodd Sam.

'A'n rhieni ninnau,' meddai Lisa.

Ac felly y bu hi hefyd.

'Siwtiau nofio ganddoch chi'ch pedwar, ac yn mynnu chwarae gêmau gwirion yn y dŵr,' dwrdiodd Mr Ellis.

'Ac yn eich siorts a'ch crysau-T hefyd,' meddai Mrs Jones yn grac.

Ddywedodd 'run o'r pedwar air. Beth oedd yna i'w ddweud? Yn enwedig wrth rieni na fuasai'n coelio gair!

13

Chafodd y pedwar ddim rhagor o gyfle i bendroni gyda'i gilydd. Roedd eu rhieni'n rhy grac! Ac felly, eistedd yn ddistaw yn y lolfa fach fu'n rhaid i Non a Sam, a gwrando ar eu rhieni'n dwrdio.

Ond yr un peth oedd ym meddyliau'r ddau. Beth ddigwyddai nesaf? A phan ddaeth yn amser gwely, aethant yn dawel gyda geiriau olaf eu tad yn atseinio yn eu clustiau:

'Bihafiwch. Dydw i eisio clywed 'run smic ganddoch chi'ch dau eto heno. Dallt?'

'Cartref Eban a Non oedd y bwthyn 'ma,' sibrydodd Non pan ddaeth Sam ar flaenau'i draed i'w llofft yn ddiweddarach. 'Be wna i?' holodd yn ofnus. 'Mae Eban yn fy mygwth i o hyd.'

'Tybed ydi o eisio rhywbeth o'r bwthyn?' gofynnodd Sam yn dawel.

'Y fi mae o eisio,' meddai Non. Aeth ias o ofn trwyddi. 'Mae o wedi trio droeon, tydi?'

'Ond pam ti?' holodd Sam. 'Tybed ydi o wedi cael cam, fel yr awgrymodd Wyn?'

'Ond dydw i ddim wedi gwneud cam ag o.'

Cyrcydodd y ddau wrth y ffenest ac edrych allan.

'Dacw fo!' sibrydodd Non yn wyllt. 'Mae o ar lwybr yr ardd. Bron â chyrraedd y drws.'

Gafaelodd yn dynn ym mraich Sam.

'Wela i mohono fo'n iawn,' meddai Sam. 'Dim ond cysgod un funud, a dim y funud nesaf.'

'Ond mae o yna . . . yn dŵad yn nes . . . ac yn edrych i fyny arna i,' meddai Non yn grynedig. 'Mae o wedi dŵad i fy nôl i. A dydw i ddim eisio mynd.'

Roedd dagrau llosg yn powlio i lawr ei hwyneb. Agorodd Sam y ffenest yn benderfynol a gwthio'i ben allan.

'Mi waedda i ar Dad,' bygythiodd, gan edrych i gyfeiriad y cysgod.

Safodd y cysgod yn ei unfan.

'Gwadna hi,' meddai Sam yn fygythiol eto gan geisio gweld siâp y cysgod yn iawn, ond yn methu.

'O!' meddai Non yn wantan. Rhoddodd ei dwylo dros ei llygaid a chwmanu'n isel ar y sedd. 'Mae o eisio imi fynd ato fo. Mae'n o'n disgwyl amdana i. *A dydw i ddim eisio mynd! Nac ydw wir!*'

Ond er nad oedd hi eisio mynd, roedd yn rhaid iddi. Roedd gorchymyn Eban Jones yn rhy gryf. Cododd yn afrosgo a throi am y drws.

'Na!' Gafaelodd Sam ynddi a'i thynnu'n ôl i lawr. 'Chei di ddim mynd. Chei di ddim gwrando arno fo,' hisiodd yn benderfynol.

'Rhaid imi,' meddai Non yn ddagreuol.

Ymdrechodd i godi ar ei thraed unwaith eto.

'DAD!' gwaeddodd Sam ar dop ei lais.

Ond ni ddaeth ymateb o waelod y grisiau.

'DAD!' gwaeddodd Sam yn wyllt eto wrth stryffaglio i ddal Non yn ddiogel.

Dim ateb.

Disgynnodd y ddau ar y llawr coed. Ymdrechodd Non i godi a dianc i lawr y grisiau. Ond roedd Sam yn benderfynol na châi hi fynd yn agos at y landin. Rowliodd y ddau'n ôl ac ymlaen wrth y sedd.

'Non! Plîs!' erfyniodd Sam.

Yn sydyn, ymlaciodd Non yn sypyn llonydd ar y llawr.

'Roedd o'n mynnu imi fynd ato fo,' meddai'n ddagreuol. 'Mae o f'eisio i yn lle y Non arall gollodd o erstalwm.'

Edrychodd Sam yn syn arni.

'Sut gwyddost ti?' holodd yn anghrediniol.

63

'Ei glywed o'n dweud yn fy meddwl,' eglurodd Non. 'Hiraeth sy arno fo.'

'S'dim angen iddo fo *fygwth*,' meddai Sam yn gryf. 'Ac mae'r *ddau* ohonyn nhw wedi boddi, tydyn?'

'Ydyn . . . ond mae corff Non yn y fynwent, ac mae o yn ysbryd ar y môr mawr . . . heb neb.'

'Hy!' meddai Sam.

'Y-ydi o wedi mynd?' holodd Non yn grynedig.

Edrychodd Sam trwy'r ffenest.

'Wela i mohono fo . . . wel, ei gysgod o . . . yn unlle,' meddai. 'Mi ddychrynodd wrth fy nghlywed i'n gweiddi ar Dad, 'ndo?'

'Do . . . ond mae o'n siŵr o ddŵad yn ei ôl,' meddai Non. 'A be wna i wedyn? Mae o'n siŵr o ennill yn y diwedd. A dydw i ddim eisio bod yn ysbryd efo fo ar y môr.'

Dechreuodd igian crio wrth ddychmygu crwydro am byth ar y tonnau ac Eban yn gwmni iddi. Nid Non erstalwm oedd hi, ond Non rŵan. Non un ar ddeg oed efo mam a thad, a Sam yn frawd iddi. Non rŵan oedd hi, eisio mwynhau ei gwyliau, ond fedrai hi ddim am bod Eban Jones yn ei bygwth.

'Mi ofala i na chaiff o afael ynddot ti,' cysurodd Sam. 'Chaiff o ddim dy ddwyn di.'

Sniffiodd Non yn ddagreuol a cheisio gwenu ar ei brawd. 'Ond . . . be tasat ti'n methu?' holodd yn grynedig.

'Wna i ddim, siŵr,' oedd yr ateb penderfynol.

Er iddo addo'n gryf, doedd gan Sam ddim syniad sut roedd o am ei hachub rhag Eban. Ond roedd o am wneud. Rhywsut!

Gafaelodd yn ymyl y sedd a dechrau codi'n afrosgo. Wrth afael yn y sedd, teimlodd nobyn bychan crwn o dan ei fysedd. Nobyn rhy fychan i'w ganfod, bron, a hwnnw o dan rimyn y sedd. Yr eiliad nesaf, clywodd glic ysgafn.

'Be . . ?' dechreuodd Sam. 'Cod!' meddai'n llawn cyffro. 'Mae 'na rhywbeth yma.'

Plygodd i archwilio'r sedd. Roedd hi'n codi fel caead cist.

'Hei!' meddai Sam a'i lais yn codi. 'Sbia!'

Plygodd y ddau i edrych i mewn i'r twll oedd wedi ymddangos o dan y sedd.

'Does 'na ddim byd yna ond twll gwag,' meddai Non yn siomedig.

Rhoddodd Sam ei law yn ddwfn i mewn i'r twll ac ymbalfalu ynddo.

'Nac oes, am . . . wn . . . i,' meddai'n siomedig.

Roedd o ar fin rhoi'r gorau i ymbalfalu pan deimlodd rywbeth fel blwch bychan ar y gwaelod.

'Mae . . . 'na . . . ryw-beth yma,' pwffiodd gan ymestyn yn is.

Ymwthiodd ei ben a'i gorff yn isel i'r guddfan. Roedd o bron â chael gafael yn y blwch, ond ei fod yn mynnu llithro o'i afael bob tro.

'Jest . . . imi . . . gael . . . gafael . . . ynddo fo,' pwffiodd unwaith eto.

Estynnodd yn is. Roedd . . . o'n . . . cyffwrdd

ynddo. Yn cau ei fysedd amdano. Wedi dy gael di, meddyliodd yn orfoleddus o'r diwedd gan geisio codi ei hun yn ôl.

'Helpa . . . fi,' meddai o ddyfnder y guddfan. 'Rydw i'n sownd!'

Gafaelodd Non am ei ganol a'i dynnu allan.

'Whiw!' meddai Sam. 'Roedd y twll yn rhy fach.'

Edrychodd ar y blwch henffasiwn yn ei ddwylo. Roedd o'n llwch ac yn faw i gyd. Chwythodd Sam arno a chododd cwmwl cyfoglyd i'w wyneb.

Syllodd y ddau arno heb ddweud gair am ychydig. Teimlent ryw gynnwrf rhyfedd, fel pe bai'r blwch yma'n ateb i'r dirgelwch.

'Agor o,' meddai Non yn nerfus.

Cododd Sam y caead. Y tu mewn, roedd cudyn o wallt cyrliog, brown a llyfryn du bratiog yr olwg. Estynnodd Non i afael ynddo. Daeth teimlad rhyfedd drosti. Rywsut, roedd hi'n gwybod beth oedd ynddo cyn ei agor.

'Dyddiadur,' meddai. 'Dyddiadur Non.'

Doedd dim smic i'w glywed yn unman, dim ond sŵn anadlu cynhyrfus y ddau wrth iddynt edrych ar ei gilydd. Yna plygodd Sam i edrych drwy'r ffenest unwaith eto.

'Mae o wedi mynd. Mi ddeudis i, 'ndo? Doedd o ddim yn lecio cael ei fygwth.'

'Ond beth am Mam a Dad?' holodd Non yn sydyn. 'Mi waeddaist ti arnyn nhw, a wnaethon nhw ddim ateb.'

Edrychodd y ddau yn syn ar ei gilydd.

'Ydyn nhw'n iawn?' holodd Non yn grynedig.

Brysiodd y ddau i lawr y grisiau. Dyna lle'r oedd eu rhieni'n cysgu'n sownd ar y soffa. Roedd paneidiau te llawn ar y bwrdd bach o'u blaen, a bisged wedi hanner ei bwyta yn llaw y ddau.

'Mam! Dad!' galwodd Sam a Non.

Sbonciodd y ddau yn effro. Rhwbiodd Mr Ellis ei lygaid a throi i edrych ar y plant.

'Be dach chi'n ei wneud i lawr yma?' holodd yn grac. 'Mi ddyliech fod yn eich gwely ac yn cysgu ers meitin.'

'Eisio diod,' esgusododd y ddau yn gloff.

Estynnodd eu mam am ei phaned te.

'Ych!' meddai'n ddryslyd. 'Mae hwn yn oer. Ac edrych ar y cloc 'na, Robin,' meddai wedyn. 'Mae hi'n *hwyr!*'

Wedi esgus cymryd diod, dringodd Non a Sam yn ôl i'r llofft.

'Be wnei di efo'r blwch?' sibrydodd Sam.

'Ei gadw fo yn y drôr,' sibrydodd Non yn ôl. 'A phenderfynu fory.'

15

Fu rioed y ffasiwn siarsio ar y pedwar ohonyn nhw fore trannoeth.

'Chewch chi ddim mynd i'r traeth o gwbl,' bygythiodd Mr Ellis. 'Ddim os byddwch chi'n bihafio fel ddoe. Dallt?'

Roedd Non wedi stwffio'r blwch i fag plastig efo'i thywel a phaced o greision. Doedd hi ddim eisio i'w mam a'i thad ei weld.

'Cofiwch rŵan,' oedd geiriau olaf ei mam. 'Bihafiwch. Neu . . .'

Dringodd y pedwar i lawr y stepiau ac i'r traeth. Roedd Lisa a Wyn yn cario eu tywelion nhw o dan eu breichiau.

'Pam y bag plastig?' holodd Lisa. 'Bwyd?'

'Na,' meddai Non. 'Ond dowch inni fynd ymhellach oddi wrth y stepiau. Rhag ofn i Mam a Dad ddŵad i gadw llygad arnon ni.'

Eisteddodd y criw beth bellter o'r stepiau, a dechreuodd Non a Sam egluro'r cyfan a ddigwyddodd y noson cynt.

'Rioed!' meddai Wyn yn syn. 'A'ch rhieni chi'n cysgu'n sownd! Wedi'u swyno gan Eban, yn siŵr ichi.'

'Eisio fi yn lle Non ei ferch mae o,' esboniodd Non.

Edrychodd pawb ar ei gilydd.

'Be wnawn ni?' holodd Wyn. 'Mae Eban yn beryglus. Mi fu jest iddo dy swyno di i mewn i'r cwch ddoe.'

Agorodd Non y blwch ac edrych i mewn iddo'n synfyfyriol.

'Mae dyddiadur a chudyn o wallt Non ynddo fo,' meddai.

''Run lliw â dy wallt di,' rhyfeddodd Lisa.

Crychodd Non ei thalcen wrth fyseddu'r dyddiadur. 'Ddylien ni ei ddarllen o?' holodd. 'Mae dyddiadur yn breifat, tydi?'

'Ond efalla bod yr ateb ynddo,' dadleuodd Wyn. 'Rhywbeth i fodloni Eban ac i tithau gael llonydd ganddo fo.'

Roedd y sgrifen yn wan ac yn anodd ei deall. Ond roedd hanes Non a'i thad yn hwylio'r *Lili Wen* ynddo. A theimladau Non hefyd.

'*Rydw i'n teimlo sâl môr, ond dydw i ddim am ddweud wrth Dad.*'

''Run fath a fi yn sâl wrth deithio,' meddai Non.

Nodiodd Sam.

'Sâl bob tro,' meddai.

'Pam na fuasai hi'n dweud wrth Eban?' meddai Non.

'*Mae Dad eisio ennill ras. Dydi o'n meddwl am ddim arall ar ôl i Mam farw.*'

'Dyna ofnadwy,' meddai Lisa yn llawn teimlad.

'Mae gen i ofn y môr mawr. Mae'r tonnau'n uchel ac mae gen i ofn i'r cwch suddo.'

'Hen ddyn caled, cas oedd Eban,' meddai Wyn.

Yna'n sydyn, fe welson nhw i gyd gwch hwylio yn nesáu at y lan. Roedd Eban ynddo.

'Ew!' meddai Sam. 'Rydw i'n 'i weld o'n berffaith glir.'

'A finna,' meddai Wyn.

Syllodd pawb yn ofnus i'w gyfeiriad.

'Wyddwn i ddim. Wyddwn i ddim ei bod hi'n sâl môr ac yn ofni'r tonnau,' meddai llais Eban yn eu meddyliau. *'Wyddwn i ddim!'*

Daeth sŵn wylo. *''Ngeneth fach i. Wnei di faddau imi?'* gofynnodd yn dorcalonnus.

Cododd y llais yn uwch ac yn uwch nes iddo foddi sŵn y tonnau.

'Maddau imi, Non. Tyrd ata i, Non arall. Fydd dim rhaid imi grwydro'r tonnau yn unig a thrist wedyn.'

Gafaelodd y tri yn dynn yn Non rhag ofn iddi ufuddhau iddo.

'Nid y fi,' meddai Non yn gyffrous. 'Y blwch efo'r dyddiadur a'r cudyn gwallt ynddo fo. Efalla y bydd o'n fodlon os caiff o nhw.'

'Chei di ddim mynd yn agos ato fo,' meddai'r tri arall gan ddal eu gafael ynddi'n dynn. 'Mae'n rhy beryglus.'

'Ond dyna'r unig ateb,' dadleuodd Non. 'Plîs! Neu mi fydd o'n ceisio fy nenu i am byth.'

Syllodd pawb ar ei gilydd am amser hir. Tybed ai dyna'r unig ffordd? O'r diwedd, gollyngodd y tri hi'n anfodlon.

'Mi fyddwn ni reit wrth dy sodlau di,' meddai Sam. 'Chaiff o mo dy swyno di eto.'

Cododd Non yn benderfynol a chychwyn i gyfeiriad y cwch. Fe wyddai bod yn rhaid iddi wynebu Eban. Efallai y byddai'n fodlon wedyn, wedi cael mymryn o'i ferch yn ôl.

'Non arall! Wyt ti'n dod? Y ni'n dau efo'n gilydd am byth!'

Petrusodd Non wrth glywed y geiriau. Ond roedd yn rhaid iddi fynd ymlaen.

Doedd gan Eban ddim byd i'w atgoffa o'r Non gyntaf rŵan, yn nac oedd? Ddim a'i chorff hi yn y fynwent ac yntau ar goll yn nyfnderoedd y môr. Efallai y byddai'r blwch a'i gynnwys yn ddigon.

Cerddodd Non ymlaen, a Wyn a Sam a Lisa yn ei dilyn yn bryderus. Safodd am eiliad ychydig bellter oddi wrth y cwch. Edrychodd i wyneb Eban. Roedd o'n syllu'n hiraethus arni a'i freichiau'n agored i'w chroesawu.

'Nid y fi. Hwn,' meddai Non gan estyn y blwch ato.

'Nid . . . y ti?' oedd y geiriau trist a glywai yn ei meddwl.

'Na. Hwn. Non oedd piau fo. Mae dyddiadur a chudyn o'i gwallt y tu mewn. Edrychwch ynddo fo.'

Estynnodd y blwch ato eto. Tynhaodd Sam a

Wyn a Lisa eu gafael ynddi rhag ofn i Eban geisio ei chipio.

'Cymerwch o. Edrychwch ynddo fo,' meddai Non.

Newidiodd wyneb Eban wrth iddo syllu i mewn i'r blwch.

'Fy ngeneth annwyl i,' wylodd.

Anwylodd y cudyn gwallt rhwng ei fysedd.

Ac yna, rywsut, diflannodd popeth o flaen eu llygaid. Doedd dim ar ôl ond tonnau'n ymgripio'n araf tua'r lan a heulwen ddisglair bore braf o haf yn tywynnu uwchben. Ond roedd un gair tawel i'w glywed ar yr awel . . .

'D . . . ii . . . oo . . . lch!'